FRÉDÉRIC JACQUES TEMPLE

Frédéric Jacques Temple est né et vit à Montpellier. Romancier (*Les Eaux Mortes, Un Cimetière Indien,* Albin-Michel, *L'Enclos,* Actes-Sud) ; poète (ses recueils ont été réunis sous le titre *Anthologie personnelle,* Actes-Sud) ; biographe, (*D.H. Lawrence, L'Œuvre et la Vie,* Seghers ; *Henry Miller, Le Tombeau de Medora,* La Manufacture) ; traducteur (Lawrence Durrell, Henry Miller, Tennessee Williams, Haniel Long, Neal Cassady, Thomas Hardy, David-Herbert Lawrence, *Les Psaumes de la Création* des Indiens Navahos, *Chants sacrés* des Indiens Pueblos). Il est membre du Comité éditorial de la revue *Sud*. A codirigé le Colloque Blaise Cendrars à Cerisy-la-Salle en 1987.

Deuxième Série

POÉSIE DE LANGUE ANGLAISE
À PARAITRE

Philip Larkin, *Poèmes choisis.*
Mirna Loy, *Lunar Baedecker.*

D. H. LAWRENCE

LE NAVIRE DE MORT
ET AUTRES POÈMES

TRADUCTION DE L'ANGLAIS
ET PRÉSENTATION
PAR FRÉDÉRIC JACQUES TEMPLE

ORPHÉE / LA DIFFÉRENCE

PRÉFACE
par Frédéric Jacques Temple

David Herbert Lawrence, l'un des écrivains considérables de ce siècle, était encore, voilà quarante ans, peu connu en France, en dépit des traductions de ses livres majeurs. Quelques biographies ou études critiques ne suffisaient pas à éveiller l'intérêt d'un public qui se contentait du scandale qu'avait produit, on s'en étonne aujourd'hui, un roman comme *Lady Chatterley's Lover*. Restaient au second plan *The Rainbow* (L'Arc-en-ciel), *Sons and Lovers* (Amants et fils), *Women in Love* (Femmes amoureuses), *The Plumed Serpent* (Le Serpent à plumes), et ces remarquables livres de voyage que sont *Etruscan places* (Promenades étrusques), *Twilight in Italy* (Crépuscule italien), *Mornings in Mexico* (Matinées mexicaines) et *Sea and Sardinia* (Sardaigne et Méditerranée).

Depuis les années 60, la bibliographie lawrencienne s'est prodigieusement allongée en Angleterre et aux Etats-Unis, et toute proportion gardée en France. Mais dans l'esprit du public, Lawrence, auteur de quelques romans célèbres, n'a jamais occupé la place de premier plan qui lui revient dans la poésie anglaise. Or, poète, Lawrence l'est avant tout. C'était aussi l'avis de Richard Aldington qui l'avait bien connu, et qui a laissé sur lui, au moins un ouvrage qui a fait date, *D.H. Lawrence : Portrait of a Genius But...* Plus près de nous, Jean-Jacques Mayoux, l'un des maîtres des études anglaises en France, n'a pas craint d'affirmer : « Lawrence n'est pas *aussi* un poète. Il est d'abord un poète ». Chaque fois qu'il m'a été donné de lire, devant un auditoire français, des poèmes de Lawrence, j'ai été frappé non seulement par le peu de connaissance qu'il avait du poète, mais aussi par l'émotion et l'étonnement durables qui avaient saisi le public.

* *
*

Comme beaucoup de jeunes gens qui sentent monter en eux la sève de la création poétique, Lawrence a commencé par écrire des vers rimés. « Il est banal, m'a dit un jour Lawrence Durrell, de faire des poèmes lorsqu'on a dix-sept ans, mais si l'on en écrit encore à soixante, c'est qu'on est vraiment poète ». Lawrence n'a pas vécu jusqu'à cet âge, mais il ne s'est jamais arrêté de publier en alternance prose et poésie, et les poèmes qu'il a composés dans les mois qui ont précédé sa mort sont parmi les plus beaux. Vers l'âge de dix-huit ans, il eut conscience du « démon » qui l'habitait et, enfourchant sa bicyclette, roula par les chemins herbus vers les Haggs, la ferme des Chambers, et déclara à Jessie, son premier amour et l'égérie de sa jeunesse : « Je serai poète ». Lorsqu'en 1908, quelques années plus tard, il obtint un poste d'instituteur à Croydon, dans la banlieue de Londres, il s'abonna à l'*English Review* que venait de fonder Ford Maddox Ford. Comme il avait confié à Jessie qu'il avait l'intention de publier ses premiers écrits, celle-ci, en 1909, prit sur elle, lors d'une absence de Lawrence, d'envoyer quelques poèmes à la revue. Lorsque Lawrence revint, elle lui montra la lettre par laquelle Ford Maddox Ford acceptait ses textes. Il lui dit gravement : « Tu m'as porté chance ». Le numéro de novembre de l'*English Review* parut avec six pages, en tête de la revue, consacrées aux poèmes d'un inconnu. Il s'agissait de la suite *Dreams Old and Nascent*, ainsi que de *Discipline* et *Baby Movements*. Des auteurs alors dans le vent, Violet Hunt, Yeats, Ezra Pound, H.G. Wells, dressèrent l'oreille : un astre neuf pointait dans le ciel de la littérature. Lawrence écrivit plus tard : « La jeune fille m'avait lancé avec une parfaite aisance dans la carrière littéraire, comme une princesse coupe un ruban et lance un navire ». Cette belle histoire est tout aussi simplement racon-

8

tée par Ford Maddox Ford : « En 1909 une jeune femme m'écrivit de Nottingham. Elle disait qu'elle connaissait un jeune homme qui écrivait des poèmes et des nouvelles admirables. Il était trop timide pour me les envoyer lui-même. Le pouvait-elle à sa place ? C'est ainsi que nous en vînmes à publier les premiers écrits de D.H. Lawrence ». Malheureusement, le rôle de Jessie se limita à ce « lancement ». Lawrence lui avait dit un jour d'un ton grave : « Tout grand homme – j'entends tout homme qui accomplit quelque chose – s'appuie sur une femme. Pourquoi ne seriez-vous pas la femme sur laquelle je m'appuierais ? » C'était oublier la grande rivale, celle qui a mis en œuvre l'impitoyable puissance de sa volonté pour qu'il n'y ait personne qui s'interposât entre elle et son fils, Mrs. Lawrence, la mère, jalouse, têtue, acharnée, destructrice, qui en fin de compte remporta la victoire. Tout sera consigné dans *Sons and Lovers*. Jessie n'avait fait que donner le coup d'envoi : elle ne sera pas dans la course.

* *
*

Dans l'importante préface * aux *Last Poems* qu'il écrivit après la mort de Lawrence, Richard Aldington observe, dans un parallèle entre Lawrence et Joyce, que l'œuvre du premier était basée sur le concept du Devenir, celle du second sur le concept de l'Etre. La comparaison est perspicace : « Ulysse est statique, solide, construit avec logique, sent le soufre, c'est une sorte d'anti-cadeau de Noël au Seigneur pour qui mille ans durent un jour, un jour dure mille ans. C'est un univers immobile, comme une gigantesque coupole de verre, rigide, soufflée au-dessus de nos têtes. C'est ainsi. On n'y peut rien. Un produit étrange, parfait, plutôt terrible, de la volonté et de l'esprit humains, une sorte de Frankenstein littéraire qui a dévoré son créateur. Tournons-nous maintenant vers l'œuvre de Lawrence, combien fluide, combien

---

* Préface reprise dans l'édition des *Complete Poems* (Heinemann, Londres 1957, et 1964.

intime, combien imparfaite, somme d'aventures inabouties dont le seul point commun est d'avoir été vécues par le même homme. Rien n'y est statique, tout s'y écoule. C'est un perpétuel commerce avec la Muse, mais la progéniture est une surprise, autant pour le père que pour tout autre. Ecrire, pour Lawrence, n'était pas un acte étranger à lui-même, c'était une part de lui-même, cela surgissait de sa vie et le nourrissait en retour. En écrivant, il était l'aventurier de lui-même, et se découvrait. »

Une poésie conçue d'une manière si peu « littéraire » ne pouvait que déconcerter en un temps épris de recherche formelle et d'exercices spirituels. Lawrence ne cessera de gêner les amateurs de classification. Il n'a participé à aucune école, n'en a fondé aucune. Son bref rattachement au groupe « Imagiste », quelque peu forcé par l'amitié, est sans importance. Il a été et demeure comme une pierre erratique. « Les poèmes de Lawrence, écrit Joyce Carol Oates dans *The Hostile Sun : The Poetry of D.H. Lawrence*, sont rudes, énervants, ils nous soumettent à une musique fiévreuse… Ils sont censés être spontanés, nés d'expériences spontanées ; ils ne sont pas censés nous gratifier d'une idée de grandeur et d'immortalité comme chez d'autres poètes, idée trompeuse de l'immortalité qui n'est qu'un prolongement de l'ego du poète. Et pourtant ils accèdent à une sorte d'immortalité parce que précisément ils transcendent le temps et l'intellect ». L'ensemble des poèmes de Lawrence apparaît comme une sorte de vaste roman autobiographique « plus agressif sur le plan de l'émotion que le meilleur de ses romans » (J.C. Oates). En effet, la lecture chronologique des poèmes se déroule comme celle d'un livre de bord, a souligné Richard Aldington, ce qui signifie qu'il y a des sommets et des creux, des exaltations et des humeurs, des angoisses et des chants de triomphe. « Avec lui, le livre n'est pas conçu comme une chose faite, distincte de l'auteur, mais un prolongement de sa propre vie. Une création, certes, mais comme une sorte de parthènogènèse, un engendrement d'enfants qui lui appartiennent de façon plus intime que toute autre progéniture qui ne peut être que le fruit d'une collaboration. C'est le produit d'une individualité si péremptoire, si altière, qu'elle déconcerte. Après tout, dans ce flux intense, que devient l'individu, où se trouve-t-il ? La plupart des gens se pensent comme un petit noyau dur et statique, au centre du flux universel. Mais l'individu Lawrence est aussi fluide que tout le reste. On ne peut le réduire à quoi que ce soit, car aujourd'hui n'est pas hier, et demain ne sera ni hier ni aujourd'hui ». L'inégalité dans l'œuvre de Lawrence a été considérée par certains comme un défaut. A la question de savoir quelle était la valeur de son œuvre, Lawrence répondait qu'il se fichait bien qu'elle soit jugée bonne ou mauvaise : elle était la preuve absolue de lui-même. Dans sa préface à *The Complete Poems of D. H. Lawrence*, Vivian de Sola Pinto remarque que « comme Wordsworth il a écrit beaucoup de mauvais poèmes ; mais comme chez Wordsworth, même ces mauvais poèmes sont importants car ils sont les expériences d'un poète majeur frayant sa route vers la découverte d'une nouvelle sorte d'art poétique ». Richard Aldington avait déjà souligné que les « mauvais » poèmes de Lawrence ne pouvaient paraître inférieurs qu'en comparaison des « bons », d'ailleurs plus nombreux, parmi lesquels figurent d'indiscutables chefs-d'œuvre. Sans doute, cette poésie, qualifiée, comme celle de William Blake, de « sans masque », a-t-elle gêné la critique habituée à décortiquer des poèmes cadenassés dans l'hermétisme ou forgés comme des pièces d'orfèvrerie. C'est une poésie de la vie immédiate. Lawrence s'en est lui-même expliqué dans la préface à l'édition américaine de ses *New Poems* en 1920 : « La poésie tumultueuse de l'instant incarné est souveraine, au-delà même des gemmes immortelles de l'avant et de l'après. Dans sa palpitation éphémère, elle surpasse les bijoux de cristal et de perle dure, les poèmes d'éternité. N'exigez pas des gemmes hors du temps, impérissables. Recherchez le blanc remous de la vase, la putréfaction des ciels croulants, la vie même, sans répit ni halte. Il faut des mutations, plus rapides que des miroitements, il faut de la vitesse, de la force, du mouvement, de l'agilité, des lacunes, de l'urgence, toutes qualités de la vie même, sans solution ni terme...

C'est la poésie alerte, généreuse du présent absolu, poésie dont la permanence vient de ce qu'elle est comme le vent, passagère ». On ne s'étonne pas qu'il nomme sans hésiter, comme pour montrer ses lettres de noblesse, celui qui lui apparaît comme le phare d'une telle poésie, Walt Whitman, dont le « souffle passe à jamais tel un vent en incessant voyage, et invincible ».

* *
*

Les poèmes présentés ici sont ceux qui figurent dans l'édition de Vivian de Sola Pinto et Warren Roberts, en deux volumes, publiés par Heinemann, à Londres ; *The Complete Poems of D.H. Lawrence*, 1964, révisés en 1967 et 1972. Ils ont été choisis dans les principaux recueils que Lawrence a composés de 1913 à sa mort en 1930, et je les ai présentés dans l'ordre chronologique : *Look ! We have come through !*, *Birds, Beasts and Flowers*, *Pansies* et *Last poems*. Le premier recueil date de 1917 et concerne la phase de sa vie où Frieda, épouse conquérante, va prendre la place de la mère disparue. Le second, de 1923, est dédié à l'unité de la nature ; l'homme s'est démarqué de celle-ci par excès de « ratio », il est temps pour lui de regagner le berceau primordial, même si les vieilles habitudes l'ont rendu réfractaire, même si le cerveau s'est attribué le commandement suprême, et même si la crainte sacrée des origines, comme dans *Snake* par exemple, est la plus forte. Avec les *Pansies*, qui datent de 1929, on découvre un Lawrence sensible aux atteintes de l'actualité immédiate : « On y rencontre, écrit Aldington, l'irritable tuberculeux, toujours hors de lui à cause des tracasseries juridiques des censeurs, des stupidités journalistiques. Il s'irritait contre les gens en bonne santé, contre toutes les classes sociales, contre les machines et les techniciens, bref contre tout le monde ». La nervosité de Lawrence, qui n'est pas très loin de l'heure de sa mort, mais qui surtout souffre de l'incompréhension qui l'entoure, nous vaut ce cycle de poèmes d'un Lawrence « des mauvais jours ». Mais soudain, comme nourri d'une sève nouvelle, le génie de Lawrence irradie une dernière fois. Les *Last Poems*, réunis après sa mort par Richard Aldington, sont parmi les plus beaux et les plus dignes. Ils témoignent que Lawrence, en face de la réalité suprême de la mort, trouve le courage de faire la preuve que son esprit est plus vaillant que jamais et que ses dons poétiques sont intacts. J'utilise volontiers une formule peut-être désinvolte et banale, mais qui convient ici : « Il est parti en beauté ». Il est parti sur ce « navire de mort » construit pour le plus long des voyages, ce frêle esquif qui porte l'âme, à travers les ténèbres, vers la nouvelle aurore.

LE NAVIRE DE MORT
ET AUTRES POÈMES

HYMN TO PRIAPUS

My love lies underground
With her face upturned to mine,
And her mouth unclosed in a last long kiss
That ended her life and mine.

I dance at the Christmas party
Under the mistletoe
Along with a ripe, slack country lass
Jostling to and fro.

The big, soft country lass,
Like a loose sheaf of wheat
Slipped through my arms on the threshing floor
At my feet.

The warm, soft country lass,
Sweet as an armful of wheat
At threshing-time broken, was broken
For me, and ah, it was sweet !

HYMNE À PRIAPE

Mon amour gît sous la terre
Son visage vers le mien,
Bouche mi-close pour un dernier baiser
Qui fut le terme de notre vie commune.

A la fête de Noël je danse
Sous le gui
Avec une molle et dodue campagnarde
Se trémoussant de-ci de-là.

La grasse et tendre campagnarde,
Telle une gerbe déliée
A glissé de mes bras sur l'aire
A mes pieds.

La chaude et tendre campagnarde,
Douce comme une brassée de blé
Au battage, je l'ai foulée
Avec quelle volupté !

Now I am going home
Fulfilled and alone,
I see the great Orion standing
Looking down.

He's the star of my first beloved
Love-making.
The witness of all that bitter-sweet
Heart-aching.

Now he sees this as well,
This last commission.
Nor do I get any look
Of admonition.

He can add the reckoning up
I suppose, between now and then,
Having walked himself in the thorny, difficult
Ways of men.

He has done as I have done
No doubt :
Remembered and forgotten
Turn and about.

My love lies underground
With her face upturned to mine,
And her mouth unclosed in the last long kiss
That ended her life and mine.

Je rentre maintenant chez moi
Assouvi et solitaire,
Je vois le grand Orion
Là-haut qui me regarde.

C'est l'astre de ma première
Conquête bien-aimée,
Témoin de la douce amère
Peine de mon cœur.

Maintenant il voit aussi
Ma dernière conduite,
Et ne me jette nul regard
Pour m'avertir.

Il peut dresser, je suppose,
Son bilan, de jadis à maintenant,
Lui qui a marché dans les ronces
Des durs chemins de l'homme.

Il a fait ce que j'ai fait
Sans doute :
Aller de mémoire à oubli
Tour à tour.

Mon amour gît sous terre
Son visage vers le mien
Et sa bouche mi-close en un dernier long baiser
Qui termina sa vie et la mienne.

She fares in the stark immortal
Fields of death ;
I in these goodly, frozen
Fields beneath.

Something in me remembers
And will not forget.
The stream of my life in the darkness
Deathward set !

And something in me has forgotten,
Has ceased to care.
Desire comes up, and contentment
Is debonair.

I, who am worn and careful,
How much do I care ?
How is it I grin then, and chuckle
Over despair ?

Grief, grief, I suppose and sufficient
Grief makes us free
To be faithless and faithful together
As we have to be.

Elle traverse les mornes champs
Eternels de la mort ;
Et moi les vastes champs de glace
D'ici-bas.

Quelque chose en moi se souvient
Et n'oubliera pas.
Le cours de ma vie dans l'ombre
Roulant vers la mort !

Et quelque chose en moi a oublié,
N'éprouve plus d'angoisse.
Le désir s'érige et j'ai mon content
De liesse.

Moi qui suis las et dans l'angoisse,
M'en suis-je tant soucié ?
Pourquoi donc ces petits cris, ces rires
Masquent-ils le désespoir ?

Le chagrin, le chagrin je pense, à satiété,
Nous rend libres d'être
Fidèles et infidèles ensemble,
Comme nous le devons être.

I AM LIKE A ROSE

I am myself at last ; now I achieve
My very self. I, with the wonder mellow,
Full of fine warmth, I issue forth in clear
And single me, perfected from my fellow.

Here I am all myself. No rose-bush heaving
Its limpid sap to culmination has brought
Itself more sheer and naked out of the green
In stark-clear roses, than I to myself am brought.

JE SUIS COMME UNE ROSE

Je suis moi-même enfin ; j'ai maintenant
Mon véritable moi ; mûr à merveille, j'émerge
Dans la clarté, plein de douce chaleur,
Tout à fait distinct de qui m'est proche.

Me voici moi-même. Nul rosier par le flux
De sa limpide sève vers la cime n'a fleuri
Plus véridique et nu au-dessus du feuillage
En roses vives que je n'y ai pour moi réussi.

SONG OF A MAN WHO IS LOVED

Between her breasts is my home, between her breasts.
Three sides set on me space and fear, but the fourth side
    rests
Sure and a tower of strength, 'twixt the walls of her breasts.

Having known the world so long, I have never confessed
How it impresses me, how hard and compressed
Rocks seem, and earth, and air uneasy, and waters still
    ebbing west.

All things on the move, going their own little ways, and all
Jostling, people touching and talking and making small
Contacts and bouncing off again, bounce ! bounce like a
    ball !

My flesh is weary with bounce and gone again ! —
My ears are weary with words that bounce on them, and
    then
Bounce off again, meaning nothing. Assertions !
    Assertions ! stones, women and men !

CHANT D'UN HOMME QUI EST AIMÉ

Entre ses seins je demeure, entre ses seins.
Sur trois côtés j'affronte le vide et la peur,
Mais le quatrième est un donjon entre ses seins.

Ayant longtemps connu le monde, jamais je n'ai confié
Combien il m'angoisse et comme sont durs et compacts
A mes yeux les rochers et la terre, pénible l'air,
Et le reflux des eaux vers l'occident.

Tout avance, va son petit chemin, et tout
Est bousculades, contacts, paroles et timides rapports,
Puis d'un coup c'est le rejet, bond et rebond, telle une balle !

Ma chair est lasse de ces va-et-vient !
Mes oreilles, de tous ces mots qui l'agressent,
Stupides, et rebondissent. Vérités absolues !
Vérités absolues ! pierres, hommes et femmes !

Between her breasts is my home, between her breasts.
Three sides set on me chaos and bounce, but the fourth side
    rests
Sure on a haven of peace, between the mounds of her
    breasts.

I am that I am, and no more than that : but so much
I am, nor will I be bounced out of it. So at last I touch
All that I am not in softness, sweet softness, for she is such.

And the chaos that bounces and rattles like shrapnel, at
    least
Has for me a door into peace, warm dawn in the east
Where her bosom softens towards me, and the turmoil has
    ceased.

So I hope I shall spend eternity
With my face down buried between her breasts ;
And my still heart full of security,
And my still hands full of her breasts.

Entre ses seins je demeure, entre ses seins.
Sur trois côtés j'affronte désordre et chaos,
Mais le quatrième est un havre de paix entre les collines de
    ses seins.

Je suis ce que je suis, pas davantage, mais je le suis,
Rien ne pourra m'en dépouiller. Alors je touche
Enfin la douceur que je n'ai pas, la tendre douceur qui est
    en elle.

Et le chaos convusif qui crépite comme de la mitraille
Me laisse au moins une issue vers la paix, ardente aurore
    à l'est
Où son giron pour moi s'attendrit, où se calme le tumulte.

J'espère alors pendant l'éternité
Enfouir mon visage entre ses seins,
Et que mon cœur s'apaise en pleine confiance,
Ses seins pesant dans mes mains tranquilles.

THE SONG OF A MAN WHO HAS COME THROUGH

Not I, not I, but the wind that blows through me !
A fine wind is blowing the new direction of Time.
If only I let it beare me, carry me, if only it carry me !
If only I am sensitive, subtle, oh, delicate, a winged gift !
If only, most lovely of all, I yield myself and am borrowed
By the fine, fine wind that takes its course through the
    chaos of the world
Like a fine, an exquisite chisel, a wedge-blade inserted ;
If only I am keen and hard like the sheer tip of a wedge
Driven by invisible blows,
The rock will split, we shall come at the wonder, we shall
    find the Hesperides.

Oh, for the wonder that bubbles into my soul,
I would be a good fountain, a good well-head,
Would blur no whisper, spoil no expression.

CHANT D'UN HOMME QUI A TRIOMPHÉ

Ce n'est pas moi, non pas moi, mais le vent qui s'engouffre
    en moi !
Un vent léger souffle sur la nouvelle marche du Temps.
Pourvu qu'il m'emporte, m'entraîne, pourvu qu'il m'en-
    traîne !
Que je sois sensible, subtil, O délicate offrande ailée !
Pourvu que, faveur suprême, je me rende et me livre
Au beau vent léger, si léger, qui parcourt le chaos du
    monde
Tel un parfait, exquis ciseau, un burin pénétrant ;
Pourvu que je sois affilé et dur comme un biseau
Que fichent d'invisibles coups,
Le roc éclatera, nous parviendrons à la merveille, nous
    trouverons les Hespérides.

O je voudrais, pour la merveille qui bouillonne en mon
    âme,
Etre une bonne source, une bonne fontaine,
Sans troubler nul murmure, sans enlaidir nulle parole.

What is the knocking ?
What is the knocking a the door in the night ?
It is somebody wants to do us harm.

No, no, it is the three strange angels.
Admit them, admit them.

Qui frappe ?
Que sont ces coups sur la porte, la nuit ?
Quelqu'un nous veut du mal.

Non, non, ce sont trois anges inconnus.
Qu'ils entrent, qu'ils entrent.

"SHE SAID AS WELL TO ME"

She said as well to me ; "Why are you ashamed ?
That little bit of your chest that shows between
the gap of your shirt, why cover it up ?
Why shouldn't your legs and your good strong thighs
be rough and hairy ? — I'm glad they're like that.
You are shy, you silly, you silly shy thing.
Men are the shyest creatures, they never will come
out of their covers. Like any snake
slipping into its bed of dead leaves, you hurry into your
    clothes.
And I love you so ! Straight and clean and all of a piece is
    the body of a man,
such an instrument, a spade, like a spear, or an oar,
such a joy to me —"
So she laid her hands and pressed them down my sides,
so that I began to wonder over myself, and what I was.

ELLE M'A DIT AUSSI

Elle m'a dit aussi ; "Pourquoi cette pudeur ?
Le peu que je vois de ta poitrine
par ta chemise ouverte, pourquoi le couvrir ?
Pourquoi tes jambes, tes bonnes fortes cuisses
ne seraient-elles pas rudes et poilues ?
J'en suis bien satisfaite.
Tu es timide, nigaud, quel timide nigaud.
Les hommes, les plus timides créatures, ne savent pas
    sortir de leur réserve. Tel un serpent glissant dans son lit
    de feuilles mortes, tu enfiles vite tes habits.
J'aime comme tu es ! Droit, lisse, tout d'une pièce est le
    corps de l'homme,
tel un outil, une bêche, une lance ou une rame, il me met en
    joie"
Alors elle pressa ses mains sur mes flancs,
et je fus d'abord émerveillé de moi-même,
et de ce que j'étais.

She said to me : *"What an instrument, your body !*
single and perfectly distinct from everything else !
What a tool in the hands of the Lord !
Only God could have brought it to its shape.
It feels as if his handgrasp, wearing you
had polished your and hollowed you,
hollowed this groove in your sides, grasped you under the
    breasts
and brought you to the very quick of your form,
subtler than an old, soft-worn fiddle-bow.
When I was a child, I loved my father's riding-whip
that he used so often.
I loved to handle it, it seemed like a near part of him.
So I did his pens, and the jasper seal on his desk.
Something seemed to surge through me when I touched
    them.
"So it is with you, but here
The joy I feel !
God knows what I feel, but it is joy !
Look, you are clean and fine and singled out !
I admire you so, you are beautiful : this clean sweep of
    your sides, this firmness, this hard mould !
I would die rather than have it injured with one scar.
I wish I could grip you like the fist of the Lord,
and have you —"

So she said, and I wondered,
feeling trammelled and hurt.
I did not make me free.

Elle me dit : "Quel instrument, ton corps !
unique, tout à fait distinct des autres choses !
Quel outil dans les mains du Seigneur !
Dieu seul pouvait lui donner cette forme.
Sa paume, je pense, en te façonnant, t'a poli, évidé,
gravé le tracé de tes flancs, modelé ta poitrine
et t'a mené au sommet de ta forme,
plus subtil qu'un archet adouci par l'usage.
Quand j'étais enfant, j'aimais la cravache de
mon père, il s'en servait souvent.
J'aimais la tenir , comme une part de lui,
Et ses plumes aussi, et le sceau de jaspe sur son bureau.
Quelque chose me submergeait, semblait-il, lorsque je les
    touchais.
Avec toi il en est de même, mais alors
Quel plaisir je ressens !
Dieu seul sait ce que je ressens, mais alors quel plaisir !
Vois, tu es lisse, délicat, tellement toi !
Tel que tu es je t'admire, tu es beau : lisse est le galbe de tes
    flancs, quelle fermeté, quel vigoureux contour !
Plutôt mourir que de le voir enlaidi par une cicatrice.
J'aimerais t'empoigner comme le Seigneur,
et te posséder".

Ainsi dit-elle, et stupéfait,
je ressentis la contrainte et l'offense.
Cela ne me rendait pas libre.

Now I say to her : "No tool, no instrument, no God !
Don't touch me and appreciate me.
It is an infamy.
You would think twice before you touched a weasel on a
    fence
as it lifts its straight white throat.
Your hand would not be so flig and easy.
Nor the adder we saw asleep with her head on her
    shoulder,
curled up in the sunshine like a princess ;
when she lifted her head in delicate, startled wonder
you did not stretch forward to caress her
though she looked rarely beautiful
and a miracle as she glided delicately away, with such
    dignity.
And the young bull in the field, with his wrinkled, sad face,
you are afraid if he rises to his feet,
though he is all wistful and pathetic, like a monolith,
    arrested, static.
Is there nothing in me to make you hesitate ?
I tell you there is all these.
And why should you overlook them in me ?"

Alors je lui dis : "Ni outil, ni instrument, ni Dieu !
Ne me touche pas, ne me jauge pas.
C'est infâme.
Tu réfléchirais à deux fois avant de toucher à une belette à
   gorge blanche debout sur une clôture.
Ta main ne serait pas si vive et si habile.
La vipère que nous avons vue, endormie sur elle-même,
lovée dans le soleil telle une princesse,
quand elle a dressé la tête en un doux sursaut d'étonnement,
tu n'as pas eu d'élan pour la caresser
malgré sa rare beauté,
et la merveille de son gracieux glissement,
et quelle dignité !
Et le taurillon du pré, au front triste et frippé,
te fait peur s'il se dresse sur ses pattes
bien qu'il soit émouvant et mélancolique, figé, inerte, tel un
   bloc de pierre.
N'y a-t-il donc rien en moi qui te fasse hésiter ?
Tous ceux que je viens de te dire,
Pourquoi les méconnaître en moi ? »

SICILIAN CYCLAMENS

When he pushed his bush of black hair off his brow :
When she lifted her mop from her eyes, and screwed it in
    a knob behind
      — O act of fearful temerity !
When they felt their foreheads bare, naked to heaven, their
    eyes revealed :
When they felt the light of heaven brandishing like a knife
    at their defenceless eyes,
And the sea like a blade at their face,
Mediterranean savages :
When they came out, face-revealed, under heaven, from
    the shaggy undergrowth of their own hair
For the first time,
They saw tiny rose cyclamens between their toes, growing
Where the slow toads sat brooding on the past.

Slow toads, and cyclamen leaves
Stickily glistening with eternal shadow
Keeping to earth.

CYCLAMENS DE SICILE

Quand il délivra son front de sa tignasse noire,
Quand elle écarta de ses yeux sa crinière sombre pour la
     nouer derrière en chignon
     — Oh geste de terrible audace !
Quand ils sentirent la lumière du ciel brandie comme une
     lame sur leurs yeux sans défense,
Et la mer, sabre sur leur visage
De méditerranéens sauvages,
Quand ils parurent, à visages nus, sous le ciel, hors de leur
     chevelure, hirsute broussaille,
Pour la première fois,
Ils virent de menus cyclamens roses entre leurs orteils,
     poussant là
Où les lents crapauds figés ruminaient le passé.

Lents crapauds, feuilles de cyclamens
Luisantes et grasses d'ombre éternelle,
Attachés à la terre.

Cyclamen leaves
Toad-filmy, earth-iridescent
Beautiful
Frost-filigreed
Spumed with mud
Snail-nacreous
Low down.

The shaking aspect of the sea
And man's defenceless bare face
And cyclamens putting their ears back.
Long, pensive, slim-muzzled greyhound buds
Dreamy, not yet present,
Drawn out of earth
At his toes.

Dawn-rose
Sub-delighted, stone-engendered
Cyclamens, young cyclamens
Arching
Waking, pricking their ears
Like delicate very-young greyhound bitches
Half-yawning at the open, inexperienced
Vista of day,
Folding back their soundless petalled ears.

Greyhound bitches
Bending their rosy muzzles pensive down,
And breathing soft, unwilling to wake to the new day
Yet sub-delighted.

Feuilles de cyclamens
A la peau de crapaud huilée, irisant la terre
Tant de beauté
Filigranes de givre
Ecume de vase
Nacre d'escargot
Plus qu'humbles.

Les visibles remous de la mer
Et le visage nu, sans défense, de l'homme
Et les cyclamens repliant leurs oreilles.
Longs, pensifs, des bourgeons, fins museaux de levriers
Songeurs, encore sans présence,
Surgis de terre
Entre ses orteils.

Rose d'aurore
En de stubtils délices, cyclamens,
Générés de la pierre, jeunes cyclamens,
Cambrés,
Alertes, dressant leurs oreilles
Comme de fragiles et tendres levrettes
A moitié baillant à la neuve annonce du jour,
Repliant leurs pétales, oreilles sourdes.

Levrettes
Inclinant en rêvant leurs museaux roses
A douce haleine, rebelles à l'éveil du jour nouveau
Encore en de subtils délices.

Ah Mediterranean morning, when our world began !
Far-off Mediterranean mornings,
Pelasgic faces uncovered,
And unbudding cyclamens.

The hare suddenly goes uphill
Laying back her long ears with unwinking bliss.

And up the pallid, sea-blenched Mediterranean stone-
    slopes
Rose cyclamen, ecstatic fore-runner !
Cyclamens, ruddy-muzzled cyclamens
In little bunches like bunches of wild hares
Muzzles together, ear-aprick,
Whispering witchcraft
Like women at a well, the dawn-fountain.

Greece, and the world's morning
Where all the Parthenon marbles still fostered the roots of
    the cyclamen.
Violets
Pagan, rosy-muzzled violets
Autumnal
Dawn-pink,
Dawn-pale
Among squat toad-leaves sprinkling the unborn
Erechtheion marbles.

Ah, matin de Méditerranée, aube du monde !
Lointains matins de Méditerranée,
Rivages nus des Pélasges,`
Et cyclamens épanouis.

Le lièvre soudain gravit la colline
Couchant ses longues oreilles, sans trève de bonheur.

Et toi, gagnant les pâles rivages pierreux de Méditerranée,
    blancs d'écume,
Toi, cyclamen rose, éclaireur extasié !
Cyclamens, cyclamens au mufle vermeil
En bandes, comme font les lièvres sauvages,
Mufle à mufle, oreilles aux aguêts,
Chuchotis de sorcières
Comme des femmes au puits, à la source d'aurore.

La Grèce, et le matin du monde
Où les marbres du Parthénon protégeaient encore les
    racines du cyclamen.
Violettes
Violettes païennes au mufle rose
Automnales
Roses d'aurore,
Aube pâle
Parmi les lourdes feuilles-crapauds émaillant
Les marbres futurs de l'Erechtéion.

SNAKE

A snake came to my water-trough
On a hot, hot day, and I in pyjamas for the heat,
To drink there.

In the deep, strange-scented shade of the great dark
    carobtree
I came down the steps with my pitcher
And must wait, must stand and wait, for there he was at the
    trough before me.

He reached down from a fissure in the eart-wall in the
    gloom
And trailed his yellow-brown slackness soft-bellied down,
    over the edge of the stone trough
And rested his throat upon the stone bottom,
And where the water had dripped from the tap, in a small
    clearness,
He sipped with his straight mouth,
Softly drank through his straight gums, into his slack long
    body,
Silently.

SERPENT

Un serpent vint à l'abreuvoir,
Un jour torride, et moi par cette chaleur,
En pyjamas, pour y boire.

Dans l'ombre profonde à l'étrange senteur du grand
    caroubier noir,
Je descendis les marches avec ma cruche,
Mais je dus attendre, attendre debout, car il était là devant
    moi, à l'abreuvoir.

Se coulant dans l'ombre par une fente du talus,
Il étirait l'ocre pâle de son ventre mou sur le rebord de la
    citerne,
Sa gorge reposant sur la dalle de pierre
Où l'eau du robinet avait goutté, en mince transparence
Que sa bouche plate aspirait,
Désaltérant doucement, de ses gencives plates son long
    corps mou,
En silence.

Someone was before me at my water-trough,
And I, like a second comer, waiting.

He lifted his head from his drinking, as cattle do
And looked at me vaguely, as drinking cattle do,
And flickered his two-forked tongue from his lips, and
   mused a moment,
And stooped and drank a little more,
Being earth-brown, earth-golden from the burning bowels
   of the earth
On the day of Sicilian July, with Etna smoking.

The voice of my education said to me
He must be killed,
For in Sicily the black, black snakes are innocent, the gold
   are venomous.

And voices in me said, If you were a man
You would take a stick and break him now, and finish him
   off.

But must I confess how I liked him,
How glad I was he had come like a guest in quiet, to drink
   at my water-trough
And depart peaceful, pacified, and thankless,
Into the burning bowels of this earth ?

Was it cowardice, that I dared not kill him ?
Was it perversity, that I longed to talk to him ?

Quelqu'un était à l'abreuvoir avant moi,
Et moi, en second, j'attendais.

Il souleva la tête de son breuvage, comme font les bestiaux,
Et regarda vers moi d'un air vague, comme font les bes-
tiaux qui boivent,
Dardant, de ses lèvres, une langue fourchue, rêvant un
instant,
Puis se pencha, but davantage,
Brun terreux, ocre d'or, né des entrailles brûlantes de la
terre,
En ce jour de juillet en Sicile, où l'Etna fumait..

La voix de mon éducation me soufflait :
Tue-le, il le faut.
Car en Sicile, les noirs serpents, les noirs, sont sans malice,
Mais venimeux les serpents d'or.

Et mes voix intérieures disaient : si tu es un homme,
Prends un bâton, casse-lui les reins, achève-le.

Mais dois-je confesser qu'il m'attirait,
Heureux de sa venue tel un hôte paisible, pour boire à mon
abreuvoir
Et rejoindre, serein, calme, sans un merci,
Les entrailles brûlantes de cette terre ?

Etait-ce lâcheté de ne pas le tuer ?
Vice ma soif de lui parler ?

Was it humility, to feel so honoured ?
I felt so honoured.

And yet those voices :
If you were not afraid, you would kill him !

And truly I was most afraid,
But even so, honoured still more
That he should seek my hospitality
From out the dark door of the secret earth.

He drank enough
And lifted his head, dreamily, as one who has drunken,
Andk flickered his tongue like a forked night on the air, so
*   black ;*
Seeming to lick his lips,
And looked around like a god, unseeing, into the air,
And slowly turned his head,
And slowly, very slowly, as if thrice adream,
Proceeded to draw his slow length curving round
And climb again the broken bank of my wall-face.

And as he put his head into that dreadful hole,
And as he slowly drew up, snake-easing his shoulders, and
*   entered farther,*
A sort of horror, a sort of protest against his withdrawing
*   into that horrid black hole,*
Deliberately going into the blackness, and slowly drawing
*   himself after,*
Overcame me now his back was turned.

Etait-ce humilité d'éprouver tant d'honneur ?
Car j'éprouvais tant d'honneur !

Et ces voix cependant :
Si tu n'avais pas peur, tu le tuerais !

Car, c'est vrai, j'avais peur, très peur,
Oui, mais quand même davantage honoré
Qu'il eût recherché mon accueil
Dès l'antre noir de sa terre secrète.

Il but à satiété,
Leva la tête, rêveur comme qui a bu,
Darda sa langue, nuit fourchue, si noire, dans l'air,
Comme s'il léchait ses lèvres,
Regarda l'espace alentour, sans le voir, tel un dieu,
Et lentement tourna la tête,
Et lentement, très lentement, comme en un triple rêve,
En une courbe étira sa lente longueur
Pour gravir de nouveau le pan rugueux de la muraille.

Alors qu'il engageait sa tête dans le trou d'épouvante
Et qu'il se hissait en souplesse, ondulant des épaules,
    pénétrant plus loin encore,
Une sorte d'horreur, comme un refus devant cette plongée
    dans l'affreuse tanière sombre,
Et cette descente de plein gré dans la ténèbre où le reste
    lentement glissait,
M'envahit dès lors qu'il eût tourné le dos.

I looked round, I put down my pitcher,
I picked up a clumsy log
And threw it at the water-trough with a clatter.

I think it did not hit him,
But suddenly that part of him that was left behind convulsed
*   in undignified haste,*
Writhed like lightning, and was gone
Into the black hole, the earth-lipped fissure in the wall-
*   front,*
At which, in the intense still noon, I stared with fascination.

And immediately I regretted it.
I thought how paltry, how vulgar, what a mean act !
I despised myself and the voices of my accursed human
*   education.*

And I thought of the albatross,
And I wished he would come back, my snake.

For he seemed to me again like a king,
Like a king in exile, uncrowned in the underworld,
Now due to be crowned again.

And so, I missed my chance with one of the lords
Of life.
And I have something to expiate ;
A pettiness.

Regardant alentour, je posai ma cruche,
Ramassai une bûche grossière
Et la jetai avec fracas vers la citerne.

Je ne crois pas l'avoir atteint,
Mais soudain ce qui de lui rampait encore se tordit en un
    déclic abject,
Frémit tel un éclair et disparut
Dans le trou noir, bouche de terre du talus
Que, fasciné, je regardais dans l'immobile midi foison-
    nant.

Et le remords tout à coup,
Et cette pensée : O combien misérable, basse, O combien
    vile action !
Je me suis méprisé, et les voix de ma maudite éducation
    humaine.

J'eus la vision de l'albatros,
Et j'ai souhaité qu'il revienne, mon serpent.

Car il m'apparaissait de nouveau tel un roi,
Tel un roi en exil, découronné dans le tréfonds,
Mais à qui rendre à présent sa couronne.

Ainsi ai-je manqué ma chance avec un des seigneurs
De la vie.
Et j'ai quelque chose à expier :
Une petitesse.

EAGLE IN NEW MEXICO

Towards the sun, towards the south-west
A scorched breast.
A scorched breast, breasting the sun like an answer,
Like a retort.

An eagle at the top of a low cedar-bush
On the sage-ash desert
Reflecting the scorch of the sun from his breast ;
Eagle, with the sickle dripping darkly above.

Erect, scorched-pallid out of the hair of the cedar,
Erect, with the god-thrust entering him from below,
Eagle gloved in feathers
In scorched white feathers
In burnt dark feathers
In feathers still fire-rusted ;
Sickle-overswept, sickle dripping over and above.

Sun-breaster,
Staring two ways at once, to right and left ;
Masked-one
Dark-visaged

AIGLE AU NOUVEAU-MEXIQUE

Vers le soleil, au sud-ouest,
Un camail roussi
Un camail roussi défiant le soleil, comme une réponse,
Comme une riposte.

Un aigle perché sur un cèdre bas
Dans le désert cendré de sauges
Sa poitrine irradiant la brûlure du soleil,
L'aigle, et sa faucille ruisselante, sombre menace perchée.

Dressé, blême rousseur sur pelage de cèdre,
Dressé, sous la poussée d'en bas du dieu qui le pénètre,
Aigle ganté de plumes
De blanches plumes rousses
De sombres plumes brûlées
De plumes toujours rouillées de feu,
Faucille en action, faucille s'égouttant alentour.

Défi au soleil,
Guettant des deux yeux ensemble, à droite et à gauche,
Masqué
Sombre visage

Sickle-masked
With iron between your two eyes ;
You feather-gloved
To the feet ;
Foot-fierce ;
Erect one ;
The god-thrust entering you steadily from below.

You never look at the sun with your two eyes.
Only the inner eye of your scorched broad breast
Looks straight at the sun.

You are dark
Except scorch-pale-breasted ;
And dark cleaves down and weapon-hard downward
    curving
At your scorched breast,
Like a sword of Damocles,
Beaked eagle.

You've dipped it in blood so many times
That dark face-weapon, to temper it well,
Blood-thirsty bird.

Why do you front the sun so obstinately,
American eagle ?
As if you owed him an old, old grudge, great sun : or an old,
    old allegiance.
When you pick the red smoky heart from a rabbit or a light-
    blooded bird

Masque-faucille
Un fer entre les deux yeux,
Ganté de plumes
Jusqu'aux serres
Serres féroces.
Dressé.
Le dieu-poignard te pénètre d'en-bas.

Tu ne regardes jamais le soleil de tes deux yeux.
Seul l'œil intime de ton large camail roussi
Fixe le soleil.

Tu es sombre
Sauf ton camail d'une pâle rousseur,
Et le noir tranche comme une lame, arme dure
Courbée sur ton camail roussi
Comme une épée de Damoclès,
Aigle à crocs.

Que de fois tu l'as plongée dans le sang
Cette sombre face armée, pour la bien tremper,
Oiseau altéré de sang.

Pourquoi tant s'obstiner à défier le soleil,
Aigle d'Amérique ?
Comme si tu lui vouais une vieille, vieille rancune, à ce
    grand soleil, ou si tu lui devais une antique allégeance.
Quand tu arraches le rouge cœur fumant d'un lapin ou d'un
    oiseau au sang vermeil,

Do you lift it to the sun, as the Aztec priests used to lift red
    hearts of men ?
Does the sun need steam of blood do you think
In America, still,
Old eagle ?
Does th sun in New Mexico sail like a fiery bird of prey in
    the sky
Hovering ?
Does he shriek for blood ?
Does he fan great wings above the prairie, like a hovering,
    blood-thristy bird ?

And are you his priest, big eagle
Whom the Indians aspire to ?
Is there a bond of bloodshed between you ?

Is your continent cold from the ice-age still, that the sun is
    so angry ?
Is the blood of your continent somewhat reptilian still,
That the sun should be greedy for it ?
I don't yield to you, big, jowl-faced eagle.
Nor you nor your blood-thirsty sun
That sucks up blood
Leaving a nervous people.

Fly off, big bird with a big black back.
Fly slowly away, with a rust of fire in your tail,
Dark as you are on your dark side, eagle of heaven.

Le lèves-tu vers le soleil comme les prêtres aztèques le
   cœur rouge des hommes ?
Crois-tu que le soleil ait besoin d'un sang qui fume,
Encore en Amérique,
Aigle ancien ?
Le soleil du Nouveau-Mexique traverse-t-il le ciel comme
   un brûlant rapace
Qui plane ?
Crie-t-il pour avoir du sang ?
Bat-il sur la prairie de ses grandes ailes, oiseau qui plane
   altéré de sang ?
Es-tu son prêtre, grand aigle,
Celui qu'espèrent les Indiens ?
Est-il entre vous un pacte de sang ?

Ton continent a-t-il encore le froid de l'époque glaciaire,
   que le soleil soit en telle furie ?
Le sang de ce continent garde-t-il la mémoire des âges
   reptiliens, que le soleil en soit avide ?

Je ne me soumets pas, grand aigle à crocs,
Ni à toi ni à ton soleil altéré de sang
Suceur de sang
Qui rend un peuple irritable.
Envole-toi, grand oiseau au large dos noir.
Envole-toi, queue rouillée de feu,
Sombre comme est sombre ton flanc, aigle du ciel.

Even the sun in heaven can be curbed an chastened at last
By the life in the hearts of men.
And you, great bird, sun-starer, heavy black beak
Can be put out of office as sacrifice bringer.

Même le soleil dans le ciel peut être bridé et enfin calmé
Par la vie qui est au cœur des hommes.
Et toi, grand oiseau, qui défies le soleil, lourd bec noir,
Tu risques de perdre ta charge de sacrificateur.

KANGAROO

In the northern hemisphere
Life seems to leap at the air, or skim under the wind
Like stags on rocky ground, or pawing horses, or springy
    scut-tailed rabbits.

Or else rush horizontal to charge at the sky's horizon,
Like bulls or bisons or wild pigs.
Or slip like water slippery towards its ends,
As foxes, stoats, and wolves, and prairie dogs.

Only mice, and moles, and rats, and badgers, and beavers,
    and perhaps bears
Seem belly-plumbed to the earth's mid-navel.
Or frogs that when they leap come flop, and flop to the
    centre of the earth.

But the yellow antipodal Kangaroo, when she sits up,

KANGOUROU

Dans l'hémisphère nord
La vie bondit vers l'air, semble-t-il, ou bien écume sous le
    vent
Comme des cerfs dans les rochers ou des chevaux piaffant,
    ou des lapins sautillant sur leur couette,

Ou encore à perte de vue c'est toute une ruée vers l'horizon,
Comme taureaux, bisons ou porcs sauvages.
Ou c'est comme un glissement d'eau roulant vers son
    terme,
Comme renards, hermines , loups, chiens de prairie.

Seuls souris, taupes, rats, blaireaux, castors, ours peut-
    être,
Semblent coller leur ventre au nombril de la terre.
Ou les grenouilles, sautant et retombant, floc, floc ! sur
    l'axe de la terre.

Mais à l'autre bout du monde, le jeune kangourou, quand
    il s'asseoit,

Who can unseat her, like a liquid drop that is heavy, and
    just touches earth.

The downward drip
The down-urge,
So much denser than cold-blooded frogs.

Delicate mother Kangaroo
Sitting up there rabbit-wise, but huge, plumb-weighted,
And lifting her beautiful slender face, oh ! so much more
    gently and finely lined than a rabbit's, or than a hare's,
Lifting her face to nibble at a round white peppermint drop
    which she loves, sensitive mother Kangaroo.

Her sensitive, long, pure-bred face.
Her full antipodal eyes, so dark,
So big and quiet and remote, having watched so many
    empty dawns in silent Australia.

Her little loose hands, and drooping Victorian shoulders.
And then her great weight below the waist, her vast pale
    belly
 With a thin young yellow little paw handing out, and
    straggle of a long thin ear, like ribbon,
Like a funny trimming to the middle of her belly, thin little
    dangle of an immature paw, and one thin ear.

Qui peut le renverser, lourde poche liquide effleurant la
terre.

Poche gouttant
Attirée vers le bas
Combien plus pesante que les grenouilles à sang froid.

Fine mère kangourou
Assise là comme un lapin, mais énorme, lestée,
Et relevant son gracieux minois, Oh combien plus gentil et
subtil que celui d'un lapin ou d'un lièvre,
Levant son visage pour mordiller une ronde et blanche
pastille de menthe, dont elle raffole, la délicate mère
kangourou.

Son long, mince visage racé
Ses sombres yeux ronds de l'autre bout du monde,
Si larges, si calmes, si lointains, qui ont admiré tant d'aubes
désertes dans le silence d'Australie.

Ses petites mains douces, ses basses épaules victoriennes,
Et ce grand poids sous ses hanches, ce pâle embonpoint
D'où la jeune patte frêle et jaune pend et comme un ruban
traîne sa longue et mince oreille,
Drôle de parure au milieu du ventre, mince petite pendelo-
que d'une patte immature et d'une frêle oreille.
Son ventre, ses larges hanches
Et enfin le grand muscle de sa queue, python déroulé.

Her belly, her big haunches
And, in addition, the great muscular python-stretch of her
    tail.

There, she shan't have any more peppermint drops.
So she wistfully, sensitively sniffs the air, and then turns,
    goes off in slow sad leaps

On the long flat skis of her legs,
Steered and propelled by that steel-strong snake of a tail.

Stops again, half turns, inquisitive to look back.
While something stirs quickly in her belly, and a lean little
    face comes out, as from a window,

Peaked and a bit dismayed,
Only to disappear again quickly away from the sight of the
    world, to snuggle down in the warmth,
Leaving the trail of a different paw hanging out.

Still she watches with eternal, cocked wistfulness!
How full her eyes are, like the full, fathomless, shining eyes
    of an Australian black-boy
Who has been lost so many centuries on the margins of
    existence!

She watches with inasatiable wistfulness.
Untold centuries of watching for something to come,
For a new signal from life, in that silent lost land of the
    South.

Ah ! Plus de pastilles de menthe.
Alors elle renifle l'air, délicate, mélancolique, et se dé-
tourne, partant en bonds tristes et lents

Sur les longs skis plats de ses pattes,
Mues et propulsées par le serpent d'acier de sa queue.

Nouvel arrêt, demi-tour, regard attentif en arrière.
Alors quelque chose remue, rapide, dans son ventre, et un
pauvre minois se penche comme à une fenêtre,

Pâlot et bien penaud,
Pour vite disparaître à nouveau du regard du monde et se
blottir au chaud,
Laissant pendre une autre patte.

Elle regarde encore, dressée dans son éternelle tristesse.
Comme ils sont pleins, ses yeux, tels les yeux globuleux,
insondables, luisants d'un garçon noir d'Australie
Perdu depuis des siècles sur les marges de la vie !

Elle observe avec une tristesse infinie,
Pendant combien de siècle n'a-t-elle guetté quelque chose
qui allait venir,
Un nouveau signe de la vie, sur cette terre du Sud silen-
cieuse et perdue.

Where nothing bites but insects and snakes and the sun,
small life.
Where no bull roared, no cow ever lowed, no stag cried, no
leopard screeched, non lion coughed, no dog barked,
But all was silent save for parrots occasionnally, in the
haunted blue bush.

Wistfully watching, with wonderful liquid eyes.
And all her weight, all her blood, dripping sack-wise down
towards the earth's centre,
And the live little-one taking in its paw at the door of her
belly.

Leap then, and come down on the line that draws to the
earth's deep, heavy centre.

Rien ne mord ici, que les insectes, les serpents et le soleil, peu de choses.

Ici taureau, ni vache ni cerf n'ont jamais beuglé, mugi ou bramé ; léopard ni lion ni chien, feulé, rugi ou aboyé ;

Ici tout est muet, sauf par hasard un perroquet, dans la brousse hallucinée de bleu.

Triste regard des yeux merveilleux et liquides.

Et tout ce poids, et tout ce sang, pesant comme un sac vers le centre de la terre

Et l'agile petit tirant sa patte par la porte du ventre.

Va, saute et retombe sur la ligne qui mène au cœur de la terre pesant et profond.

MOUNTAIN LION

Climbing through the January snow, into the Lobo Canyon
Dark grow the spruce-trees, blue is the balsam, water
*   sounds still unfrozen, and the trail is still evident.*

Men !
Two men !
Men ! The only animal in the world to fear !

They hesitate.
We hesitate.
They have a gun.
We have no gun.

Then we all advance, to meet.

Two Mexicans, strangers, emerging out of the dark and
*   snow and inwardness of the Lobo valley.*
What are they doing here on this vanishing trail ?

LION DE MONTAGNE

Dans la neige de janvier nous grimpons dans le canyon du
    Lobo,
Noirs sont les épicéas et bleus les baumes, et l'eau mur-
    mure encore agile, et la piste est encore visible.

Des hommes !
Deux ! Des hommes !
Seul animal à craindre au monde !

Ils hésitent.
Nous hésitons.
Ils ont une arme.
Nous, sans arme.

Nous avançons alors, tous, à la rencontre.

Deux Mexicains, des étrangers, sortent de l'ombre et de la
    neige, du plus secret des gorges du Lobo.
Que font-ils là sur la piste brouillée ?

What is he carrying ?
Something yellow.
A deer ?

Qué tiene, amigo ?
León —

He smiles, foolishly, as if he were caught doing wrong.
And we smile, foolishly, as if we didn't know.
He is quite gentle and dark-faced.

It is a mountain lion,
A long, long slim cat, yellow like a lioness.
Dead.

He trapped her this morning, he says, smiling foolishly.

Lift up her face,
Her round, bright face, bright as frost.
Her round, fine-fashioned head, with two dead ears ;
And stripes in the brilliant frost of her face, sharp, fine dark
     rays,
Dark, keen, fine rays in the brilliant frost of her face.
Beautiful dead eyes.

Hermoso es !

They go out towards the open ;
We go on into the gloom of Lobo.

Que porte celui-là ?
Une forme jaune.
Un daim ?

Qué tiene, amigo ?
León...

Il sourit bêtement, comme pris en faute.
Et bêtement, nous sourions, feignant l'ignorance.
Il est gentil et de peau sombre.

C'est un puma,
Un long, long chat svelte, jaune comme une lionne.
Mort.

Il l'a piégé ce matin, dit-il, avec un sourire bête.

Soulevez sa tête,
Sa ronde, lumineuse tête, tel un gel lumineux,
Sa tête ronde, bien modelée, et ses oreilles mortes ;
Et les rayures dans le givre lumineux de son mufle, vives,
    fines, sombres rayures,
Sombres, aiguës, fines rayures dans le givre lumineux de
    son mufle.
Ses beaux yeux morts.

Hermoso es !

Ils se dirigent vers la plaine ;
Nous continuons vers l'ombre du Lobo.

And above the trees I found her lair,
A hole in the blood-orange brilliant rocks that stick up, a
little cave,
And bones, and twigs, and a perilous ascent.

So, she will never leap up that way again, with the yellow
flash of a mountain lion's long shoot !
And her bright striped frost-face will never watch any
more, out of the shadow of the cave in the blood-orange
rock,
Above the trees of the Lobo dark valley-mouth !

Instead, I look out.
And out to the dim of the desert, like a dream, never real ;
To the snow of the Sangre de Cristo mountains, the ice of
the mountains of Picoris,
And near across at the opposite steep of snow, green trees
motionless standing in snow, like a Christmas toy.

And I think in this empty world there was room for me and
a mountain lion.
And I think in the world beyond, how easily we might spare
a million or two of humans
And never miss them.
Yet what a gap in the world, the missing white frost-face of
that slim yellow mountain lion !

Et au-delà des arbres j'ai découvert son antre,
Un trou dans le rocher ocre jaune en surplomb, une étroite
    tanière,
Et des ossements, des ramilles, un perilleux accès.

Ainsi il ne bondira plus d'ici, jaune éclair, dans sa longue
    détente de lion de montagne !
Et son mufle rayé de givre clair ne guettera plus, dans
    l'ombre de l'antre, au milieu des rochers d'ocre jaune,
Par-delà les arbres le sombre défilé du Lobo !

Et moi, je regarde, là-bas, vers le désert pâle,
Comme en un rêve, irréel ;
Vers la neige des monts Sangre de Cristo, les glaciers des
    monts de Picoris,
Et, proches sur la coulée de neige, en face, les arbres verts
    immobiles dans la neige, comme des jouets de Noël.

Et je pense que dans ce monde vide il y avait une place pour
    moi et une pour un puma.
Et je pense que dans le monde nous pourrions sans peine
    nous passer d'un ou deux millions d'humains,
Sans que cela nous manque.
Mais quel vide au monde s'il manque le mufle blanc de
    givre de ce jaune et gracieux puma !

FIRE

Fire is dearer to us than love or food,
hot, hurrying, yet it burns if you touch it,

What we ought to do
is not to add our love together, or our good-will, or any of
    that,
for we're sure to bring in a lot of lies,
but our fire, our elemental fire
so that is rushes up in a huge blaze like a phallus into
    hollow space
and fecundates the zenith and the nadir
and sends off millions of sparks of new atoms
and singes us, and burns the house down.

LE FEU

Le feu nous est plus précieux que l'amour ou la nourriture,
avec son ardeur et sa fougue, mais touchez-le, il vous mord.

Il ne faut surtout pas
mêler nos amours et nos bons vouloirs,
sources de tant de mensonges,
mais notre feu, oui, notre feu primordial,
pour qu'il jaillisse, immense flamme, tel un phallus dans
    l'antre profond,
qu'il ensemence le zénith et le nadir,
projette des graines nouvelles en millions d'étincelles,
nous marque au passage et réduise en cendres la demeure.

DIES IRAE

Even the old emotions are finished,
we have worn them out.
And desire is dead.
And the end of all things is inside us.

Our epoch is over,
a cycle of evolutions is finished,
our activity has lost its meaning,
we are ghosts, we are seed ;
for our word is dead
and we know not how to live wordless.

We live in a vast house
full of inordinate activities,
and the noise, and the stench, and the dreariness and lack
    of meaning
madden us, but we don't know what to do.

DIES IRAE

Même les émois d'antan sont révolus,
nous les avons usés jusqu'à la trame.
Et le désir est mort.
Nous portons en nous la fin des choses.

Notre époque s'est écoulée,
un cycle d'évolution s'achève,
nos actes n'ont plus de sens,
nous sommes l'ombre de nous-mêmes, des graines,
car notre parole est morte
et nous ne savons pas vivre sans elle.

Nous habitons une vaste demeure
pleine d'agitations confuses,
et bruit, puanteur, ennui, sottise
nous énervent, mais que faire ?

All we can know at this moment
is the fulfilment of nothingness.
Lo, I am nothing !

It is a consummation devoutly to be wished
in this world of mechanical self-assertion.

Tout ce qu'il nous est maintenant possible de connaître
est l'accomplissement du néant.
Voyez, je ne suis rien !

C'est une fin à laquelle on aspire
en ce monde des machines souveraines.

SUN IN ME

A sun will rise in me,
I shall slowly resurrect,
already the whiteness of false dawn is on my inner ocean.

A sun in me.
And a sun in heaven.
And beyond that, the immense sun behind the sun,
the sun of immense distances, that fold themselves together
within the genitals of living space.
And further, the sun within the atom
which is god in the atom.

SOLEIL EN MOI

Un soleil en moi se lèvera,
Je ressusciterai peu à peu.
Déjà sur mon intime océan se lève
La blancheur de la fausse aurore.

Un soleil en moi
Et un soleil au ciel
Et au-delà, l'immense soleil derrière le soleil,
Le soleil des vastes distances, ensemble lovés
Dans les génitoires du vivant espace.
Et plus lointain, le soleil de l'atome
Dieu dans l'atome.

THE ARGONAUTS

They are not dead, they are not dead !
Now that the sun, like a lion, licks his paws
and goes slowly down the hill :
now that the moon, who remembers, and only cares
that we should be lovely in the flesh, with bright, crescent
*   feet,*
pauses near the crest of the hill, climbing slowly, like a
*   queen*
looking down on the lion as he retreats —

Now the sea is the Argonauts' sea, and in the dawn
Odysseus calls the commands, as he steers past those
*   foamy islands ;*
wait, wait, don't bring the coffee yet, nor the pain grillé.
The dawn is not off the sea, and Odysseus' ships
have not yet passed the islands, I must watch them still.

LES ARGONAUTES

Ils ne sont pas morts, ils ne sont pas morts !
Maintenant que le soleil, tel un lion, lèche ses pattes
et dévale en douceur la colline,
la lune, qui se souvient, et n'a d'autre souci
que de nous voir à l'aise en notre chair, s'arrête
sur ses pieds de croissant brillant, près du sommet de la
    colline et doucement monte, telle une reine,
jetant les yeux sur le lion qui se retire ;

Maintenant la mer est encore la mer des Argonautes,
et dans l'aurore Odysseus donne des ordres
en doublant ces îles écumeuses ;
attendez, attendez, ne servez pas encore le café, ni le *pain
    grillé* *,
la mer n'a pas encore accouché de l'aurore, et les navires
    d'Odysseus n'ont pas encore doublé les îles, je dois les
    observer encore.

* *En français dans le texte.*

83

MIDDLE OF THE WORLD

This sea will never die, neither will it ever grow old
Nor cease to be blue nor in the dawn
cease to lift up its hills
and let the slim black ship of Dionysos come sailing in
with grape-vines up the mast, and dolphins leaping.

What do I care if the smoking ships
of the P. & O. and the Orient Line and all the other stinkers
cross like clock-work the Minoan distance !
They only cross, the distance never changes.

And now that the moon who gives men glistening bodies
is in her exaltation, and can look down on the sun
I see descending from the ships at dawn
slim naked men from Cnossos, smiling the archaic smile
of those that will without fail come back again,

LE CENTRE DU MONDE

Cette mer ne mourra jamais, toujours jeune et bleue sans
 fin,
gonflant à l'aube ses collines
et protégeant l'esquif de Dionysos,
frêle et sombre, au mât pesant de grappes,
parmi les dauphins bondissants.

Qu'importe si les vapeurs
de la P. & O., de l'Orient Line, et autres pestilences
croisent à heure dite dans le royaume de Minos !
Ils ne font que passer, le royaume demeure.

Maintenant que la haute lune
dans la contemplation du soleil
embrase les mortels,
je vois descendre, à l'aube, des navires,
les hommes nus et minces de Cnossos,
à l'antique sourire de ceux dont le retour est sûr.
Ils allument sur les rivages de petits feux

and kindling little fires upon the shores
and crouching, and speaking the music of lost languages.

And the Minoan Gods, and the Gods of Tiryns
are heard softly laughing and chatting, as ever ;
and Dionysos, young, and a stranger
leans listening on the gate, in all respect.

et se blottissent, conversant
dans la musique des langages perdus.

Et l'on entend les dieux de Crète et de Tirynthe
comme autrefois doucement bavarder et rire ;
et Dionysos, jeune étranger, écoute
avec respect, de la barrière.

FOR THE HEROES ARE DIPPED IN SCARLET

Before Plato told the great lie of ideals
men slimly went like fishes, and didn't care.

They had long hair, like Samson,
and clean as arrows they sped at the mark
when the bow-cord twanged.

They knew is was no use knowing
their own nothingness :
for they were not nothing.

So now they come back ! Hark !
Hark ! the low and shattering laughter of bearded men
with slim waists of warriors, and the long feet
of moon-lit dancers.

Oh, and their faces scarlet, like the dolphin's blood !
Lo ! the loveliest is red all over, rippling vermilion
as he ripples upwards !
laughing in his black beard !

CAR LES HÉROS SONT BAIGNÉS DANS LA POURPRE

Avant l'annonce par Platon du grand mensonge des idées,
les hommes, avec grâce, allaient tels des poissons , dans
l'insouciance.

Comme Samson ils avaient une longue chevelure,
Avec la rigueur des flèches ils filaient au but tandis que
vibrait l'arc.

Ils savaient qu'il était vain de connaître leur propre vide
car ils n'étaient pas vides.

Et voilà qu'ils reviennent ! Ecoutez !
Ecoutez ! C'est le rire éclatant et grave des hommes barbus
à la taille fine, tels des guerriers, aux longues jambes des
danseurs au clair de lune.

Oh ces visages pourpres comme du sang des dauphins !
Regardez celui-ci, superbe, tout son corps rutilant, enduit
de vermillon de bas en haut !
Il rit dans sa barbe noire !

They are dancing ! they return, as they went, dancing !
For the thing that is done without the glowing as of god,
    vermilion,
were best not done at all.
How glistening red they are !

Ils dansent ! Comme ils étaient partis, ils reviennent
    dansant !
Car tout ce qui est fait sans irradier de pourpre, tel un dieu,
Il vaut mieux ne pas l'entreprendre.
De quel vermeil ils rayonnent !

BODILESS GOD

Everything that has beauty has a body, and is a body :
everything that has being has being in the flesh :
and dreams are only drawn from the bodies that are.

And God ?
Unless God has a body, how can he have a voice
and emotions, and desires, and strenght, glory or honour ?
For God, even the rarest God, is supposed to love us
and wish us to be this that and the other.
And he is supposed to be mighty and glorious.

DIEU SANS CORPS

Tout ce qui est beau a un corps, est un corps ;
tout ce qui existe, existe dans la chair :
et les rêves n'existent que par les corps.

Et Dieu ?
A moins qu'il n'ait un corps, comment aurait-il une voix,
des émotions et des désirs, de la force et de la gloire, et de
    l'honneur ?
Car Dieu, fût-il la merveille des Dieux, est censé nous
    aimer,
et désire que nous soyons ci et ça.
Et on lui prête puissance et gloire.

THEY SAY THE SEA IS LOVELESS

They say the sea is loveless, that in the sea
love cannot live, but only bare, salt splinters
of loveless life.

But from the sea
the dolphins leap round Dionysos' ship
whose masts have purple vines,
and up they come with the purple dark of rainbows
and flip ! they go ! with the nose-dive of sheer delight ;
and the sea is making love to Dionysos
in the bouncing of these small and happy whales.

ON DIT QUE LA MER EST SANS AMOUR

On dit que la mer est sans amour, que l'amour
ne peut y vivre, hors les débris salés et nus
d'un vie sans amour.

Mais de la mer
les dauphins cabriolent autour du bateau de Dionysos
aux mâts chargés de vignes pourpres,
bondissent, sombre violine d'arc-en-ciel,
et floc ! ils filent ! en liesse, piquant du nez,
et la mer fait l'amour avec Dionysos
dans les plongeons de ces joyeuses petites baleines.

THE SHIP OF DEATH

I

Now it is autumn and the falling fruit
and the long journey towards oblivion.

The apples falling like great drops of dew
to bruise themselves an exit from themselves.

And it is time to go, to bid farewell
to one's own self, and find an exit
from the fallen self.

II

Have you built your ship of death, O have you ?
O build your ship of death, for you will need it.

The grim frost is at hand, when the apples will fall
thick, almost thundrous, on the hardened earth.

LE NAVIRE DE MORT

I

Maintenant c'est l'automne et la chute des fruits,
et le long voyage vers l'oubli.

Les pommes tombent en lourdes gouttes de rosée
pour se meurtrir dans leur délivrance.

Il est temps de partir, de prendre congé
de soi-même, et de trouver par où sortir
du moi déchu.

II

Avez-vous construit votre navire de mort, O dites ?
O construisez-le votre navire de mort, vous en aurez besoin.

Le gel sinistre est proche, dés lors que tomberont
les pommes, dru, à fracas de tonnerre, sur la terre durcie.

And death is on the air like a smell of ashes !
Ah ! can't you smell it ?

And in the bruised body, the frightened soul
finds itself shrinking, wincing from the cold
that blows upon it through the orifices.

III

And can a man his own quietus make
with a bare bodkin ?

With daggers, bodkins, bullets, man can make
a bruise or break of exit for his life ;
but is that a quietus, O telle me, is it quietus ?

Surely not so ! for how could murder, even self-murder
ever a quietus make ?

IV

O let us talk of quiet that we know,
that we can know, the deep and lovely quiet
of a strong heart at peace !

How can we this, our own quietus, make ?

Et la mort est dans l'air comme une odeur de cendre !
Ne la sentez-vous pas ?

Et dans le corps meurtri l'âme effrayée,
crispée, grimace sous le froid
qui l'agresse par les fissures.

III

Un homme est-il qui peut trouver sa paix
par une simple lame ?

Avec dagues, poignards, balles, il peut
attenter à sa vie et lui trouver l'issue ;
mais est-ce la paix, O dites, est-ce la paix ?

Sûrement pas ! Comment pourrait un meurtre,
fût-ce de soi, être le solde de tout compte ?

IV

O parlons de la paix que nous connaissons,
que nous pouvons connaître, tendre et profonde paix
d'un cœur ferme et serein !

Comment nous acquitter de nous-mêmes ?

V

Build then the ship of death, for you must take
the longest journey, to oblivion.

And die the death, the long and painful death
that lies between the old self and the new.

Already our bodies are fallen, bruised, badly bruised,
already our souls are oozing through the exit
of the cruel bruise.

Already the dark and endless ocean of the end
is washing in through the breaches of our wounds,
already the flood is upon us.

Oh build your ship of death, your little ark
and furnish it with food, with little cakes, and wine
for the dark flight down oblivion.

VI

Piecemeal the body dies, and the timid soul
has her footing washed away, as the dark flood rises.

We are dying, we are dying, we are all of us dying
and nothing will stay the death-flood rising within us
and soon it will rise on the world, on the outside world.

V

Construisez donc le navire de mort, car vous attend
le plus long des voyages, vers l'oubli.

Et mourir de la mort, la longue et douloureuse mort
qui sépare l'ancien moi du nouveau.

Déjà nos corps ont chu, meurtris, combien meurtris,
déjà nos âmes suintent par l'issue
de la cruelle meurtrissure.

Déjà l'océan noir et sans fin de la fin
s'engouffre dans les brèches de nos blessures,
déjà nous submerge le flot.

O construisez votre navire de mort, votre petite arche,
emplissez-le de nourriture, de biscuits et de vin,
pour la noire descente vers l'oubli.

VI

Le corps meurt peu à peu et l'âme intimidée
voit céder ses assises alors que monte le flot sombre.

On meurt, on meurt, nous mourons tous,
et rien n'endiguera le flot de mort qui monte en nous
et qui bientôt submergera le monde, la surface du monde.

We are dying, we are dying, piecemeal our bodies are
    dying and our strength leaves us,
and our soul cowers naked in the dark rain over the flood,
cowering in the last branches of the tree of our life.

VII

We are dying, we are dying, so all we can do
is now to be willing to die, and to build the ship
of death to carry the soul on the longest journey.

A little ship, with oars and food
and little dishes, and all accoutrements
fitting and ready for the departing soul.

Now launch the small ship, now as the body dies
and life departs, launch out, the fragile soul
in the fragile ship of courage, the ark of faith
with its store of food and little cooking pans
and change of clothes,
upon the flood's black waste
upon the waters of the end
upon the sea of death, where still we sail
darkly, for we cannot steer, and have no port.

There is not port, there is nowhere to go
only the deepening blackness darkening still
blacker upon the soundless, ungurgling flood
darkness at one with darkness, up and down

On meurt, on meurt, le corps meurt peu à peu
et nos forces nous quittent;
notre âme nue se gîte en la pluie noire sur le flot,
cachée dans les dernières branches de notre arbre de vie.

VII

On meurt, on meurt, la seule chose à faire
maintenant, est d'accepter la mort et de construire
le navire de mort pour l'âme en son plus long voyage.

Un petit bateau, avec des rames et des vivres,
de petits plats et tout l'équipement
convenable, et prêt au voyage de l'âme.

Alors, lancez le petit bateau, puisque meurt le corps,
et que la vie s'en va, lancez l'âme fragile
sur le frêle et vaillant navire, l'arche de foi,
avec sa soute à vivres et ses marmites,
ses habits de rechange,
sur le noir flot désert
sur les eaux de la fin
sur l'océan de mort où nous voguons toujours,
aveuglément, sans gouvernail, ni port.

Sans port et sans mouillage,
sinon l'épaisse obscurité sans cesse dense et noire
sur le flot de silence et sans rides,
de haut en bas une seule ténèbre,

and sideways utterly dark, so there is no direction any
   more.
And the little ship is there ; yet she is gone.
She is not seen, for there is nothing to see her by.
She is gone ! gone ! and yet
somewhere she is there.
Nowhere !

VIII

And everything is gone, the body is gone
completely under, gone, entirely gone.
The upper darkness is heavy as the lower,
between them the little ship
is gone
she is gone.

It is the end, it is oblivion.

IX

And yet out of eternity, a thread
separates itself on the blackness,
a horizontal thread
that fumes a little with pallor upon the dark.

Is it illusion ? or does the pallor fume
A little higher ?
Ah wait, wait, for there's the dawn,

et ténèbre totale de babord à tribord, sans direction possi-
    ble,
et le petit navire est là, et pourtant disparu.
Invisible et que rien ne signale.
Disparu ! Disparu ! Et pourtant
il est là, quelque part.
Nulle part !

VIII

Et tout a disparu, le corps a disparu,
englouti tout entier, disparu tout à fait.
De haut en bas la ténèbre est épaisse,
et le petit navire au milieu,
disparu
a disparu.

C'est la fin, c'est l'oubli

IX

Et pourtant hors de l'éternité, un fil
se détache des ténèbres,
un fil horizontal
mince et pâle vapeur sur l'ombre.

Est-ce un mirage ? Ou la pâleur
un peu plus haut s'exhale ?
Ah, attendez, attendez, car voici l'aurore,

the cruel dawn of coming back to life
out of oblivion.

Wait, wait, the little ship
drifting, beneath the deathly ashy grey
of a flood-dawn.

Wait, wait ! even so, a flush of yellow
and strangely, O chilled wan soul, a flush of rose.

A flush of rose, and the whole thing starts again.

X

The flood subsides, and the body, like a worn sea-shell
emerges strange and lovely.
And the little ship wings home, faltering and lapsing
on the pink flood,
and the frail soul steps out, into her house again
filing the heart with peace.

Swings the heart renewed with peace
even of oblivion.

Oh build your ship of death, oh build it !
for your will need it.
For the voyage of oblivion awaits you.

la cruelle aurore du retour à la vie
loin de l'oubli.

Attendez, attendez, le petit navire
dérive, sous la mortelle cendre grise
d'une aurore submergée.

Attendez, attendez ! Oui, une coulée de jaune
et, chose étrange, O âme pâle et glacée, une coulée de rose.

Une coulée de rose et tout recommence.

X

Le flot baisse, et le corps, coquillage érodé,
émerge, étrange et ravissant.
Et le petit navire vole au port, incertain, défaillant
sur le flot rose,
et l'âme frêle en sort, retrouve sa demeure,
le cœur rempli de paix.

Le cœur battant renoue avec la paix
même de l'oubli.

O construisez votre navire de mort, O construisez-le !
Vous en aurez besoin.
Car le voyage de l'oubli vous attend.

SONG OF DEATH

Sing the song of death, O sing it !
for without the song of death, the song of life
becomes pointless and silly.

Sing then the song of death, and the longest journey
and what the soul takes with him, and what he leaves
*   behind,*
and how he enters fold after fold of deepening darkness
for the cosmos even in death is like a dark whorled shell
whose whorls fold round to the core of soundless silence
*   and pivotal oblivion*
where the soul comes a last, and has utter peace.

Sing then the core of dark and absolute
oblivion where the soul at last is lost
in utter peace.
Sing the song of death, O sing it !

CHANT DE MORT

Chante le chant de mort, chante-le donc !
car sans le chant de mort, le chant de vie
devient fade et futile.

Chante donc le chant de mort, et le plus long des voyages
et ce que l'âme emporte et ce qu'elle abandone
quand elle pénètre dans les replis toujours plus denses des
    ténèbres
car l'univers est, même dans la mort, la sombre spirale
    d'une coquille
dont les volutes tournent autour du centre d'un silence
    absolu et d'un axe d'oubli
où l'âme enfin parvient dans une paix sans faille.

Chante donc le cœur du sombre et total
oubli où l'âme est enfin perdue
dans une paix sans faille.
Chante le chant de mort, O chante-le donc !

REPÈRES BIOGRAPHIQUES

1885 Naissance de D.-H. Lawrence, le 11 septembre à Eastwood, cité houillère du Nottinghamshire, d'un père qui travaille à la mine et d'une mère "intellectuelle", soucieuse de la promotion sociale de ses enfants.

1892 Lawrence entre à la Beauvale Board School.

1897 Il est inscrit à la Nottingham High School.

1901 Rencontre de Jessie Chambers, son premier amour, à la ferme des Haggs qu'il fréquentera assidûment. Les deux jeunes gens partagent leurs nombreuses lectures.

1902 Lawrence va à la British School d'Eastwood et l'année suivante suivra les cours du Pupil Teacher Center d'Ilkeston.

1906 Il part à Nottingham pour étudier à l'University College.

1908 Il accepte le poste d'instituteur à la Davidson Road School de Croydon dans le Surrey.

1909 Publication des premiers poèmes de Lawrence dans l'*English Review.*

1910 Rupture avec Jessie Chambers. Il se fiance à Louie Burrows.

1911 Lawrence publie son premier roman *The White Peacock.*

1912 Atteint par une grave pneumonie, il quitte son poste d'enseignant. Rupture avec Louie Burrows. Rencontre de Frieda Weekley, née von Richthofen, épouse d'un de ses professeurs à Nottingham. Ils partent ensemble en Allemagne, puis au Tyrol et en Italie. Publication de *The Trespasser*.

1913 Les Lawrence s'installent successivement à Gargnano, San Gaudenzo et Vérone. Retour en Angleterre. Rencontre de Katherine Mansfield et John Middleton Murry. Publication de *Sons and Lovers* et de *Love Poems*.

1914 Lawrence et Frieda se marient à Londres le 13 juillet. Ils agrandissent le cercle de leurs amis : Amy Lowell, Richard Aldington, H.D., Ezra Pound, Koteliansky, Bertrand Russell... Lawrence est déclaré inapte au service militaire. Ses déclarations contre la guerre, et la nationalité allemande de Frieda, leur valent des tracasseries.

1916 Installation en Cornouailles. Publication de *The Rainbow*, roman condamné et saisi pour obscénité.

1916 Projet d'une communauté idéale, "Rananim". Publication de *Twilight in Italy* et d'*Amores*.

1917 Les Lawrence sont expulsés de Cornouailles, car suspects à l'autorité militaire. Ils se réfugient à Londres chez Richard Aldington, puis dans le Berkshire. Publication de *Look ! We Have Come Through !*. On leur refuse le visa pour les Etats-Unis.

1918 Querelle avec Murry. Publication de *New Poems*.

1919 Lawrence et Frieda partent pour l'Italie. Rencontre de Norman Douglas et Maurice Magnus.

1920 Séjour à Capri et dans les Abbruzzes. Installation à Taormina, en Sicile. Voyage à Malte et en Sardaigne. Publication de *Women in Love*.

1921 Les Lawrence parcourent l'Allemagne, la Suisse et l'Autriche. Ils reçoivent de Mabel Dodge Luhan une invitation à se rendre au Nouveau-Mexique. Publication de *Psychoanalysis and the Unconsious* et de *Sea and Sardinia*.

1922 Départ pour l'Australie où ils séjournent quelque temps avant de gagner le Nouveau-Mexique. Installation à Taos, puis au ranch Del Monte. Publication d'*Aaron's Rod*, de *Fantasia of the Unconscious* et de *England, My England*.

1923 Voyage au Mexique avec le poète américain Witter Bynner et le journaliste Willard Spud Johnson. Publication de *Kangaroo*, de *Studies in Classic American Literature*, de *Birds, Beasts and Flowers*. Retour en Angleterre.

1924 Voyage en Allemagne et en France. Second séjour au Nouveau-Mexique. Publication de *The Boy in the Bush*.

1925 Atteint de tuberculose, Lawrence quitte pour toujours l'Amérique et s'installe en Italie. Publication de *St. Mawr* et de *Reflections on the Death of a Porcupine*.

1926 Lawrence et Frieda s'établissent à Spotorno, puis à la villa Mirenda près de Florence. Publication de *The Plumed Serpent*.

1927 Epuisé par de violentes hémorragies, Lawrence va consulter en Autriche. Publication de *Mornings in Mexico*.

1928 Installation à Port-Cros chez Richard Aldington, puis à Bandol. Lawrence publie *Lady Chatterley's Lover* chez Pino Orioli à Florence, et les *Collected Poems* chez Heinemann, à Londres.

1929 Séjour des Lawrence à Mallorca. Exposition des peintures de Lawrence à la Galerie Dorothy Warren à Londres. La police saisit quelques toiles jugées obscènes. Séjour en Italie et en Allemagne. Publication de *Pansies*, de *The Man Who Died* et de *Pornography and Obscenity*.

1930 Entré au sanatorium "Ad Astra" à Vence, Lawrence le quitte pour aller mourir dans sa villa, le 2 mars. Ils est inhumé dans le petit cimetière. Publication de *Nettles* et de *The Virgin and the Gipsy.*

1931 Publication de *Apocalypse* et de *Last Poems,* préfacés par Richard Aldington.

1935 Les restes de Lawrence, incinérés, reposent dans un mémorial érigé près de Taos, à quelques pas du ranch.

ORIENTATION BIBLIOGRAPHIQUE

Les poèmes réunis dans ce volume ont été choisis dans l'ouvrage de référence :

— *The Complete Poems of D.H. Lawrence*, par Vivian de Sola Pinto et Warren Roberts, en 2 volumes (William Heinemann, London, 1972).

L'œuvre poètique de D.H. Lawrence est composée des recueils suivants :

— *Love Poems* (1913)
— *Amores* (1916)
— *Look ! We have come through !* (1917)
— *New Poems* (1918)
— *Bay* (1919)
— *Tortoises* (1921)
— *Birds, beasts and flowers* (1923)
— *Pansies* (1929)
— *Nettles* (1930)
— *Last Poems* (1932)

Dans l'édition complète de 1972 ont été ajoutés des variantes et des poèmes de jeunesse.

Les études lawrenciennes, dans le monde entier, emplissent des bibliothèques. On voudra bien ne trouver ci-dessous que des indications de base à l'intention des lecteurs curieux :

BIOGRAPHIES

— *Portrait of a genius but...*, par Richard Aldington (Duell, Sloan & Pearce, 1950).

— *The Intelligent heart*, par Harry T. Moore (Heinemman, 1955).

— *D.H. Lawrence : A composite biography*, par E. Nehls, en 3 volumes (The Wisconsin University Press, 1957-1959).

— *D.H. Lawrence : l'œuvre et la vie*, par F.J. Temple, préface de Richard Aldington (Seghers, 1960).

— *D.H. Lawrence ou le Puritain scandaleux*, par Daniel Gillès (Juillard, 1964).

SOUVENIRS PERSONNELS

— *The Savage Pilgrimage*, par Catherine Carswell (Chatto & Windus, 1932). Traduit en français : *Le Pèlerin Solitaire* (A. Colin, 1935).

— *Lorenzo in Taos*, par Mabel Dodge Luhan (A. Knopf, 1932). Traduit en français : *Ma Vie avec Lawrence au Nouveau-Mexique* (Grasset, 1933).

— *Lawrence and Brett*, par Dorothy Brett (Martin Secker, 1933). Traduit en français : *Lawrence et Brett* (Stock, 1935).

— *Reminiscences of D.H. Lawrence*, par John Middleton Murray (Jonathan Cape, 1933).

— *Not I, but the wind*, par Frieda Lawrence (Heinemann, 1934). Traduit en français : *Lawrence et moi* (Gallimard 1935).

— *A Personal record*, par E.T. (Jessie Chambers), (Jonathan Cap, 1935). Traduit en français : *Le Premier amour de D.H. Lawrence* (Stock, 1965).

— *A Poet and two painters*, par Knud Merrild (G. Routledge, 1938).

— *Journey with genius*, par Witter Bynner (John Day, 1951).

Il faudrait consulter le numéro spécial de la revue *L'Herne* consacré à D.H. Lawrence en 1988 sous la direction de Ginette Katz-Roy et Myriam Librach pour avoir une idée de la profusion des études publiées seulement en France et dont le nombre a certainement triplé entre temps. Signalons ici quelques ouvrages indispensables :

— *L'Œuvre de D.H. Lawrence*, par Paul de Reul (Librairie Philosophique Vrin, 1937).

— *Vivants piliers*, par Jean-Jacques Mayoux (Julliard, 1960).

— *D.H. Lawrence : L'homme et la genèse de son œuvre*, par Emile Delavenay (C. Klincksieck, 1969).

— *The World of Lawrence*, par Henry Miller (The Capra Press, 1980). Traduit en français : *Le Monde de D.H. Lawrence* (Buchet-Chastel, 1986).

— *D.H. Lawrence : Life into Art*, par Keith Sagar (Viking Press, 1985).

Outre les 20 poèmes traduits par Paul de Reul dans son ouvrage critique et ceux que l'on peut trouver épars dans des revues, il convient de signaler les traductions suivantes :

— *Poèmes*, édition bilingue de Jean-Jacques Mayoux, avec une importante préface (Aubier-Montaigne, 1976).

— *Trente quatre poèmes*, traduits par Lorand Gaspar et Sarah Clair (Obsidiane, 1985).

— *Sous l'Etoile du Chien*, traduction de Lorand Gaspar et Sarah Clair, postface de Claude-Michel Cluny (Coll. Orphée, La Différence, 1989).

De nombreux poèmes sont inclus dans le numéro spécial de *L'Herne* mentionné plus haut.

TABLE

ISBN : 2-7291-0940-4
ISSN : 0-993-8672

ACHEVÉ D'IMPRIMER
EN SEPTEMBRE 1993
SUR LES PRESSES DE
L'IMPRIMERIE DU LION
90700 CHATENOIS LES FORGES
DÉPOT LÉGAL : 2e SEMESTRE 1993